Toc, toc, toc

Première édition dans la collection *lutin poche* : mars 1985
Traduit du japonais par Keiko Watanabé

Titre de l'édition originale : « とんとん とめてくださいな » (Fukuinkan Shoten, Tokyo, 1982)
Loi numéro 49 956 du 16 juillet 1949 sur les publications
destinées à la jeunesse : mars 1999
Dépôt légal : août 2011
Imprimé en France par Jean Lamour à Maxeville
ISBN : 978-2-211-02815-8

Tan et Yasuko Koide

Toc, toc, toc

l'école des loisirs
11, rue de Sèvres, Paris 6e

Trois marmottes
en rentrant d'une randonnée
avaient perdu leur chemin.
Le soleil couché, vint la nuit
et le brouillard commença à se répandre.
Ne sachant que faire, toutes les trois
regardaient autour d'elles.

Au loin elles aperçurent une maison.
« Pour ce soir, demandons l'hospitalité dans cette maison. »

Attention
au
brouillad
Le
Syndicat
d'initiative

Lorsque les trois marmottes arrivèrent enfin à la maison,
elles frappèrent tour à tour à la porte.

« Toc, toc, toc, peut-on entrer ? »
Pourtant, elles avaient beau frapper, pas de réponse.

Alors elles essayèrent tout doucement d'ouvrir la porte.
Dans la maison, personne.

«Qui peut bien habiter cette maison ?
Si nous couchions ici est-ce que ce serait mal ?»

De fait, comme les trois marmottes étaient très fatiguées…

… elles se mirent au lit. Bientôt elles entendirent un bruit de pas à l’extérieur et quelqu’un approcha.

«Toc, toc, toc, peut-on entrer ?»
Et tout doucement la porte s'ouvrit.

Deux lapins apparurent. «Le brouillard est si dense que nous avons per
notre chemin. Pouvons-nous rester ici pour la nuit ?»

«Je vous en prie. Nous aussi nous nous sommes perdues
et nous passons la nuit ici.»

Alors les trois marmottes et les deux lapins se mirent ensemble au lit.

くまのパディントン

Peu après, à l’extérieur de la maison
il se fit encore un bruit de pas et quelqu’un approcha.

« Toc, toc, toc, peut-on entrer ? »
Et soudain la porte s’ouvrit.

Trois renards entrèrent précipitamment. «Nous avons perdu notre chemin. Et puis tout près d'ici, nous avons vu une ombre qui

nous a fait peur. Pouvons-nous rester ici pour cette nuit ?»
«Je vous en prie. Nous aussi nous passons la nuit ici. »

Alors, les trois marmottes, les deux lapins et les trois renards se mirent au lit tous ensemble.

Cependant, peu de temps après, il se fit un grand bruit sourd
et aussitôt…

… sans l’habituel «toc, toc, toc, peut-on entrer ?»
la porte s’ouvrit en grinçant.

Alors une chose noire, énorme, surgit brusquement et s'avança ;
une chose noire, énorme, s'approcha du lit, et flaira en reniflant.

Quelqu'un commença à trembler et tous les autres tremblèrent.
Puis quelqu'un se mit à pleurer et tous les autres pleurèrent aussi et alors…

… la chose noire, énorme, souleva doucement la couverture et dit :
« Oh, là, là ! J'ai plein de visiteurs, cette nuit. »

C’était le propriétaire de la maison, l’oncle Ours.
L’oncle Ours dit : « Moi, je reçois souvent ceux qui s’égarent.

Aujourd'hui, comme le brouillard était dense,
je suis sorti pour voir si quelqu'un s'était perdu.

Allons, réchauffez-vous et passez la nuit tranquillement ici. »
Et il servit un bon bouillon bien chaud à tout le monde.

Et, lorsque les trois marmottes, les deux lapins et les trois renards furent bien réchauffés,

ils s'endormirent profondément avec l'oncle Ours, dans le lit,
jusqu'au lendemain matin.